José Joaquín Fernández de Lizardi

# El Periquillo Sarniento

(Adaptación)

SÉLECTOR
ACTUALIDAD EDITORIAL

Título: El Periquillo Sarniento
Autor: José Joaquín Fernández de Lizardi

Adaptador: Víctor Hugo Reyes Maldonado
Colección: Clásicos para niños

Diseño de portada: Mónica Jácome y Sergio Osorio
Diseño de ilustraciones: Eduardo Chávez

SÉLECTOR
ACTUALIDAD EDITORIAL

D.R. © Selector, S.A. de C.V., 2003
Doctor Erazo 120, Col. Doctores,
Del. Cuauhtémoc,
C.P. 06720, México, D.F.

ISBN: 978-970-643-608-5

Primera edición: mayo de 2003

# Índice

# Síntesis

Me llamo Pedro Sarmiento, pero me dicen *Periquillo Sarniento*, nací en la Nueva España; a mí no me gustaba estudiar ni trabajar, pero me gradué como bachiller de artes.

Trabajé como fraile, barbero, boticario, médico, sacristán, mendigo, escribiente, soldado y encargado de un mesón.

Me divertí mucho con buenos y malos amigos. Gané y perdí mucho dinero. Me metí en muchos problemas y hasta preso estuve… Me casé tres veces. Pero al final mi vida cambió, porqué elegí el camino del bien.

Con gran gusto y picardía narro mi historia llena de aventuras, desdichas y alegrías con el fin de que mis hijos (y tú) tomen el camino correcto de la vida.

# Introducción

Quizá esta obra no te sea conocida, pero fue hecha por un célebre escritor mexicano, lo cual de entrada es muy significativo.

Tal vez creas que se trata de la vida de un perico parlanchín, pero no es así. A lo largo de estas páginas conocerás las aventuras, desdichas y alegrías de un mexicano del siglo XVIII, Pedro Sarmiento, o mejor llamado *Periquillo Sarniento*, típico y pintoresco personaje, medio pícaro y hablantín, quien narra sus inimaginables vivencias para que tú las disfrutes y les encuentres una buena enseñanza.

# Inicio mi relato

Esta obra es para ustedes, hijos míos, para que sepan los raros sucesos de mi vida; si gustan difundirla, ofrézcanla a los niños, a quienes pueda, al igual que a ustedes, serles provechosa y entretenida.

Nací en México, capital de la Nueva España, entre 1771 y 1773. Me llamo Pedro Sarmiento. Mis padres me hicieron enfermizo y temeroso.

A los seis años entré a la escuela, pero tenía un maestro que apenas sabía leer y escribir, por lo que me sacaron. Aquí me decían Pedrillo, que los amigos cambiaron por Periquillo, y cuando me dio sarna me apodaron Sarniento. Periquillo Sarniento. Ingresé a otra escuela, y poco después también dejé de asistir.

# El Periquillo Sarniento

En la tercera escuela me recibió un maestro joven y muy bueno, que nos quería y de quien aprendí a leer, a escribir, así como contar en los dos años que estuve con él. Pasé mi examen final, tomé unas vacaciones y mi padre quiso conseguirme un oficio.

Mi madre puso el grito en el cielo, rogó y suplicó; le dio a mi padre mil pretextos y como el viejo la quería demasiado, ella siempre hacía su voluntad. Así que estudié gramática latina y en tres años terminé. Pero sinceramente nunca fui un gran estudiante y escogí como amigos a los peores; entre travesuras, bromas y burlas a los demás entré a estudiar filosofía.

# Descanso en la hacienda

En el Colegio de San Ildefonso estudié con don Manuel Sánchez, sabio profesor, de quien aprendí a hablar con mucha elegancia, pero yo sumé ignorancia y vanidad. Me recibí de bachiller en artes.

Hubo fiesta y al día siguiente partí hacia una hacienda. Aquí encontré a Januario, mi gran amigo, a quien le pusimos Juan Largo, y compartió conmigo sus mañas y modales. En la comida proclamó mi apodo, por lo que algunas jovencitas se rieron. Luego, Juan Largo me dejó en un embrollo: tuve que dar una explicación sobre los cometas, que le pareció llena de tonterías al vicario de Tlalnepantla, quien visitaba también el rancho.

Quedé como un soberano burro. A solas me disculpé con el vicario y él prometió darme algunas leccioncitas para que todo lo que hablara tuviera bases sólidas. Las jovencitas y señores de la hacienda nos invitaron al corral, donde se herraban reses, se jineteaban caballos y se toreaban novillos. Todos reían con las caídas de los toreros y jinetes, pero el cura y yo sentíamos pena por estos hombres.

Durante la cena, el buen padre le preguntó a Juan Largo acerca de los eclipses; éste respondió una serie de disparates que el vicario rechazó y explicó con detalles. Mi buen amigo salió con la cola entre las patas del comedor.

El vicario dejó la hacienda y me quedé sin su buena compañía. Por las tardes paseábamos, un día Juan Largo provocó que mi potro se alborotara y me tirara. Los acompañantes reían a rabiar. Lo mismo pasó al querer torear, una vaquilla me levantó por el aire y caí cual zapote, mostrando mis calzones y desmayándome.

"Mi gran amigo" me puso una mala trampa y regresé a casa. Unos días después, mi padre habló conmigo acerca de mi futuro y decidí que iba a ser clérigo. Luego conocí a otro amigo, Martín Pelayo, joven enamoradizo, muy flojo y más tonto que yo, pero quien estudiaba para cura y me narró las bondades de esta profesión.

# El Periquillo Sarniento

No me agradaba mucho la idea de estudiar y trabajar como cura, me gustaba divertirme con mis amigos y flojear; incluso sí, y en contra de mi padre, ingresé a la universidad y vestí los hábitos clericales.

Pero mi amigo Martín Pelayo, como buen pícaro, me aconsejó asistir de vez en cuando al colegio y mejor aprender a enamorar a las muchachas, a bailar, a ser jugador, a lanzar piropos..., durante un año.

Mi padre se enteró por boca del profesor que yo era un vago y faltista, que cuando iba sólo hacía perder el tiempo a los demás. El viejo sintió una pena muy grande y esa tarde me obligó a determinar mi oficio.

# La muerte de mi padre

No quería ser aprendiz y resolví convertirme en fraile en el convento de San Diego, donde me entrevisté con el prelado y lo convencí para ingresar. Mi padre no lo creía, pues me consideraba un libertino sin vocación. A Pelayo le pareció buena idea, no sin antes advertirme de los muchos quehaceres de estos hombres.

Tomé el hábito y me acosté en mi cama de tablas. Me despertaban en la madrugada para rezar y cantar. No comía. ¡No podía creerlo! ¡Qué hacía ahí! Debía barrer, trapear, lavar... Cumplí seis meses y me llegaron una triste noticia y una carta: mi padre había muerto.

Aquilaté las virtudes de mi padre y tres días después abrí la carta, que con dulzura me indicaba el camino que debía recorrer; pero mi mal corazón no hizo caso y le pedí mi salida al maestro de novicios.

Mi madre se consoló con mi llegada. Seis meses permanecí en casa, simulando una vida virtuosa. Obtuve de mamá buenos pesos de la herencia para botarlos en mis visitas a amigos y novias, así como en algunas salidas a la casa de juego.

Además, le dije a mi mamá que ya era tiempo de quitarnos el luto; que lo hiciéramos el día de mi cumpleaños. En esta fecha hicimos una fiesta, adonde acudieron un montón de gorrones.

Muchos invitados se habían retirado y el diablo de Januario inventó un ponche que trastornó a los últimos que se quedaron, todos bailaron y cayeron dormidos. Decidí jugarles una broma: a unos les tizné la cara, a otros les escondí sus cosas, a algunos les cosí sus ropas con los de al lado y más travesuras. Al despertar, sólo les quedó reírse de sí mismos o de sus conocidos.

Seguí con esta vida alocada, pensando en el baile, el juego y las mujeres; se terminó el dinerito guardado y tuvimos que mudarnos a un cuarto miserable. ¡Pobre de mi madre!, sufrió mucho, pero yo no entendía consejos ni sermones, plegarias ni ruegos.

# La muerte de mi madre

¡No hay nada como una madre buena y que ama a sus hijos, sacrificándose por ellos! Ojalá ustedes lo entiendan y cuiden a sus padres.

Gasté las joyas de mi madre, los cubiertos, empeñé ropa; derrochándolo todo con mis amigos... Si hubiera aprendido un oficio, como decía mi padre, sería distinto. Tendría trabajo.

En estas condiciones, mi mamá enfermó de gravedad. Murió y hasta tres días después me presenté, pues no tenía un quinto para el entierro. Mi tía Felipa la enterró. Al otro día llegó el casero y le cedí todos los muebles a cuenta de la renta.

Abandoné el cuartillo y hallé a *Juan Largo* por la calle, quien puso remedio a mi problemática: él me convertiría en cócora o tahúr, el que hace trampas en las cartas, roba a los inocentes en este juego y obtiene mucho dinero sin llevar un centavo en la bolsa. Aunque dudé al principio, no pude resistirme a esa manera de ganar dinero fácil.

Mientras iniciaban las clases, Januario me invitó a comer, ya que yo tenía días de no probar bocado. Por la noche cenamos en un lugar no muy agradable, pero lo más sorprendente fue donde dormimos: un lugar maloliente y sucio, con piojos, ratas y gente de la peor bajeza. No pude más y vomité toda la cena.

# Aprendizaje y peligros del juego

Aquella noche no pude dormir. Por la mañana fuimos a tomar un café y a las 12 al juego.

Jugué una partida con miedo, pero tomé confianza, ganando 16 pesos. Januario jugó albures con unos paisanitos muy decentes y les sacó más de 300 pesos. ¡Un dineral! Compramos ropa, comimos y hasta alquilamos un cuarto en un mesón.

Pasaron seis meses y yo aprendí más artimañas. Cierto día, un paisano, aconsejado por un tahúr, se dio cuenta del atraco y me llevó a un mesón dizque a comer, dándome una tremenda paliza que me envió al hospital.

Volví en mí en un hospital con unos dolores agudísimos. El paisano me provocó tremendas dislocaciones y fracturas por todo el cuerpo.

Mientras trataba de dormir, un pobre hombre murió. Los enfermeros lo llevaron al depósito y regresaron para repartirse sus pertenencias. Yo sólo los maldecía y amenazaba. Durante dos meses observé la falta de atención y cuidados nada profesionales que dispensaban los médicos y practicantes a los enfermos.

Salí más pobre y trapiento que nunca, y hallé a Januario, quien se contentó al verme y me dijo de sopetón que esa noche nos convertiríamos en ladrones, robándole a una viuda rica. Me negué y traté de convencerlo para que no lo hiciera.

Juan Largo se fue con el Pípilo —su compañero de robo— y yo me dirigí a la calle de la viuda para ver qué hacían. Me entretuve con un policía y cuando realizaban el robo, la criada gritó por un balcón y fuimos el policía y yo a auxiliarlas. Los ladrones huyeron.

Llegaron más policías pero, para mi desgracia, la moza conocía a Juan Largo y a mí, y al instante nos denunció. Yo quedé como cómplice. Me enviaron a la cárcel. Al otro día, salí al patio entre muchos encarcelados. Se me acercó un hombre que amigablemente me invitó a su calabozo para platicar conmigo.

# Mi estancia en prisión

Aquel hombre se llamaba Antonio Sánchez y me invitó a que viviera con él, bajo su protección. Le conté mi vida y milagros; él hizo lo mismo: realizó malos negocios y se casó con una muchacha muy hermosa y agraciada. Acudían a fiestas y conocieron al Marqués de T., quien se enamoró de su esposa. Este hombre le ofreció un empleo fuera para que la mujer quedara sola y al amparo de una alcahueta tía. El noble la visitaba todos los días y en una ocasión quiso abusar de ella, pero su fiel sirviente Domingo no lo permitió.

El Marqués se vengó de Antonio: mandó colocar contrabando en las valijas de las mulas y al llegar a México fue apresado. Y aquí estábamos, presos.

Al otro día declaré los hechos del robo ante un escribano. Pasaron 30 días en que don Antonio no dejaba de aconsejarme, y en uno entró muy alegre: estaba libre e inmediatamente iría con su mujer. Me puse feliz por él y triste por mí.

Sin don Antonio, hice amistad con los otros reos, pero en especial con el Aguilita, un ladrón muy listo, quien me instó a jugar cartas, para lo cual empeñé algunas pertenencias de don Antonio, que me dejó encargadas. Jugamos y ganamos, dándonos el lujo de comer y beber con los demás.

¡Tuve una gran alegría! Don Antonio y su esposa me visitaron y me contaron que el Marqués murió y los heredó, en compensación por sus malas acciones. Se despidieron, me dieron 20 pesos y quedaron a mis órdenes en Jalapa, donde vivirían.

El Aguilita abusó de mi aprecio y con halagos y trampas me quitó los 20 pesos. Quedé en la miseria.

Pasó un tiempo y caí enfermo por otra trastada del Aguilita. Al solucionarse, al escribano le agradó mi letra, me puse a su servicio, se encariñó conmigo, me sacó de la cárcel y me llevó a su casa.

En 20 días concluyó mi caso don Cosme Casalla (o *Chanfaina*, como le decían los presos) y ya en su casa me enteré que no era un hombre íntegro y honrado, pues atropellaba las leyes cuando se le antojaba. Además, a mí me pagaba muy poco, pero aprendí muchas de sus mañas.

Una noche, *Chanfaina* llevó a una guapa muchacha llamada Luisa y la encargó a nana Clara, la cocinera. Me pidió que la cuidara, pues era su novia, pero a mí me gustó mucho y la enamoré, correspondiéndome ella.

Una tarde, Lorenza, la sobrina de nana Clara, lavaba los trastes y nos pusimos a platicar. Luisa se molestó y se pelearon. Llegó *Chanfaina* y se enteró que su amor andaba conmigo. Salí corriendo y él detrás mí.

# Aprendiz de barbero, boticario, ¡y médico!

Otra vez en la calle. Don Agustín Rapamentas, el barbero de mi padre, me reconoció y me tomó como aprendiz, a pesar de mis 20 años. Rapé perros, casi desollé a un indio y ¡hasta una muela le saqué a una mujer! Mi estancia duró poco, pues la mujer del barbero me oyó hablar mal de ella y me arrojó una olla de agua caliente...

Luego me hice aprendiz de un boticario, quien confió en mí, pero al despachar una receta, eché arsénico en lugar de magnesia. El enfermo casi muere y el patrón debió pagar una severa multa. Yo huí.

Pasaron unos días y me dirigí con el doctor Purgante, antiguo socio del boticario. Entré como su criado. Ocho meses permanecí con él y cuando me quiso golpear por un altercado me fui con su mula, algunos libros y sus títulos.

En un mesón encontré a Andrés, otro aprendiz del boticario, y lo convencí para que fuera barbero y el mozo de un famoso médico: yo.

Compramos lo necesario y con unos arrieros nos enfilamos hacia Tula, donde sería el médico principal. Hice amistad con los pobladores y tuve consultas sencillas, pero mi fama se fue a las nubes al aplicar una sangría al alcabalero y volverlo a la vida, así como curar al tendero con un lavado intestinal.

Llegó a Tula un verdadero barbero y Andrés me pidió permiso para ser su aprendiz. Acepté. Seguí recetando y estafando a las personas.

Un día me invitaron a una fiesta por el santo del subdelegado. Ahí se hallaban los principales personajes del pueblo; el cura, quien no me tragaba para nada, quiso que yo hablara; cuando lo hice quedé en ridículo y disimuladamente se rieron de mí. El cura habló de las funciones del auténtico médico y ninguna se ajustó a mí. Yo sólo sabía que no sabía nada.

Tenía 16 meses en Tula. Todo empeoró cuando cayó una peste y no curaba a nadie; medio pueblo murió y la otra mitad casi me lincha. Como siempre, huí y a pie llegué a México.

Ya en México, quise comer y empeñé la capa del doctor Purgante, pero mi mala suerte hizo de las suyas: el dueño de la casa de empeño era amigo del médico y conocía la capa. Yo le dije que me había enviado un hombre y salió conmigo a buscarlo. Al primer desdichado que pasó le eché la culpa y yo quedé libre.

Cuando iba tranquilo, escuché un grito y eché a correr, y al voltear me caí con las ollas y cazuelas que vendía un indio. Éste me reclamó y empezamos a pelear. La policía llegó y me obligó a pagarle con mi chamarra. Poco después, hallé al hombre que acusé, pero era tan bueno que hasta me brindó comida y techo por la noche.

# Mi casamiento

Continué vagando... Encontré un sitio de juegos y durante varios días gané y perdí, quedándome el billete de una rifa, el cual resultó ganador con 3,000 pesos. Ahora todos los tahúres eran mis amigos y se empeñaban en demostrarme su afecto. Uno se llamaba Roque, antiguo condiscípulo.

Alquilé una casa, compré muebles, ropa; tuve criados y la cocinera era nada menos que Luisa, la novia de Chanfaina. La hice señora de la casa y mi esposa. Derroché el dinero con ella y mis dizque amigos en fiestas y tertulias.

Un buen día conocí a Mariana, una linda jovencita; me enamoré tanto que la pedí en matrimonio, y ella aceptó. Así que corrí a Luisa de la casa, pues no podría tener a las dos. A los ocho días me casé con Mariana, en una gran fiesta. Con tantos gastos me quedé sin dinero, vendí los muebles y nos cambiamos de casa.

A mi esposa y a mí se nos fue el amor y éramos unos desconocidos. Nos mudamos a una accesoria muy húmeda y despreciable. Roque se marchó. Mariana estaba embarazada y una noche, cuando iba a dar a luz, murió ella y también el niño, a causa de las manos inexpertas de una partera.

# Sacristán, mendigo y escribiente

No resistí los remordimientos y salí a vagar. Hallé en una iglesia a un conocido que era sacristán y entré como ayudante. Aprendí bien, pero la codicia volvió y quise robarle a un muerto sus pertenencias. El sacristán y el cura me sorprendieron y éste me despidió.

Me uní a un grupo de mendigos que pedían limosna en la calle. Yo me convertí en ciego y me iba bien, pero otro conocido me encontró en la calle y me hizo escribiente de un subdelegado en Tixtla.

El subdelegado era otro pillo, igual que yo. Así, nos dedicamos a abusar de los pobladores mediante multas, infracciones, escritos... El cura de Tixtla se parecía mucho a nosotros, ya que no tenía piedad con las lágrimas de los desdichados ni le afectaba la miseria de sus feligreses.

El gobernador de los indios nos denunció ante la Real Audiencia, en la capital. El subdelegado fue a México y dijo que él fue engañado por mí, pues yo escribía todos los documentos y papeles. Fui capturado y sentenciado a ocho años al servicio del rey en las milicias de Manila. Me volví soldado.

# ¡Hacia Manila!

Gracias a mis adulaciones, letra y talento, me hice asistente del coronel y ya no fui soldado. Gocé de los beneficios de vivir con él y de su amor al estudio y la buena educación. Partimos hacia Manila y el barco quedó varado en un banco de arena. Para sacarlo, aligeramos su peso desechando la plata. Un comerciante, al perder su dinero, se arrojó al mar y se ahogó.

El coronel me aconsejaba que el oro y la plata no fueran los resortes de mi corazón y en ese momento se escuchó: "¡Tierra! ¡Tierra!" Llegamos a Manila.

En Manila procuré ser un hombre de bien y digno hijo del coronel, como me llamaba. Viví los ocho años de la sentencia con tranquilidad e hice un capitalito. Al terminar el periodo, decidí quedarme, pero a los dos meses mi protector murió, dejándome un gran pesar y 8,000 pesos de herencia. Viéndome solo y con dinero, regresé a México.

# El naufragio

Partimos de Manila y al séptimo día el barco naufragó por la fuerza de los huracanes. Yo me sostuve de una tabla y quedé varado en el mar. Una lancha apareció y me rescataron, dirigiéndonos a una isla. Aquí, un hombre llamado Limahotón me dio techo y comida en un confortable palacio.

Días después, me llevó con su hermano, el virrey o tután de Saucheofú, nombre de la isla. El asiático me exigió que desempeñara un oficio para poder comer. Yo enumeré los muchos que tenía y sólo me quedó el de hilandero.

Como mi intención no era trabajar, le confesé al chino Limahotón que en México yo era conde y deseaba irme a mi patria. Me dijo que en la isla había un barco que partiría pronto y en él nos iríamos, pues él quería ver mundo. Hice amistad con un inglés y un español que también viajarían.

El asiático me enseñó las bellezas de su ciudad, de las cuales quedé admirado; al otro día, hubo una ejecución, con lo cual aprecié que la vida es invaluable, y más para quien está vivo.

# Regresé a México

Me granjeé la estimación y confianza del asiático. Así, zarpamos y llegamos a México.

Andresillo, antiguo acompañante barbero, llegó a afeitar al chino y descubrió que yo no era conde. No le importó y me hizo su criado.

Empecé a gastar su dinero sin que se enterara. Un día recibimos a un capellán para que pusiera en orden la casa. ¡Vaya si lo hizo! Me quitó las llaves de los cofres y me corrió. Salí enojadísimo y lo peor es que unos hombres robaron mis cosas. Sólo quedaba ahorcarme.

Compré licor para darme valor y una reata, pero a la buena hora no pude hacerlo y me quedé dormido.

Desperté y empeñé la camisa para comer y comprar cigarros. Ya era de noche y me metí en un velorio para descansar. De pronto, todos sufrimos un espanto, pues el muerto se levantó, condenando nuestras malas obras. Salimos corriendo de ahí.

Tomé rumbo hacia Puebla y, pasando Río Frío, cuál sería mi sorpresa que me encontré al *Aguilita* y al *Pípilo*, hechos unos ladrones de caminos. Fui con ellos a su guarida y me convidaron ropas buenas. Pasaron dos meses y tuvieron un enfrentamiento con otro bando. Debían combatirlo de nuevo y yo, a pesar de mi miedo, los acompañé.

El Pípilo y el Aguilita murieron en la refriega. Yo huí en un brioso caballo. A la sombra de un árbol reflexioné acerca de mi modo de vivir. Me dirigí a Apam, luego a Teotihuacán, donde en un paraje colgaba Januario, cabecilla de los ladrones y mi amigo.

Volví a México y entré a la iglesia de La Profesa, para hablar con el padre, quien me invitó a los ejercicios religiosos.

Al día siguiente, me presenté y me sorprendí al enterarme que Roque, mi gran amigo, era mi compañero de cuarto. Pero más gusto tuve al ver que mi confesor era Martín Pelayo, otro gran amigo. Él me recomendó para encargarme de un mesón y una tienda en San Agustín de las Cuevas.

# Mi vida cambió

Un domingo de cada mes iba a México a visitar a Pelayo y a mi amo. Al regresar, me topé con Anselmo, un amigo de correrías, y su familia en un estado lamentable. Los ayudamos y mi amo lo colocó como mayordomo de una de sus haciendas.

Seguí trabajando en el pueblo, con la ayuda de Hilario, el cajero. Una tarde, cuando fuimos a cazar, encontramos a un hombre que, al relatarnos su vida, supimos que era amigo de Hilario, quien realmente se llamaba Tadeo, y era el hombre a quien le imputé el robo de la capa del doctor Purgante. ¡Qué vueltas da la vida!

También en México hallé al capellán del chino y fuimos con éste para abrazarlo y ser amigos. Del mismo modo ocurrió con Andresillo, a quien puse como cajero.

Pero lo mejor fue recibir a don Antonio, su esposa y su hija en el mesón. Llegaron casi muertos y al verlos los abracé y besé. Pasó un tiempo y pedí en matrimonio a Margarita, la hija de don Antonio. Nos casamos y nacieron ustedes, hijos míos. Murieron sus abuelos y mi amo, quien me heredó sus bienes.

He escrito mi vida sin disfraz para que ustedes tomen el camino correcto. Mi enfermedad es incurable y pronto llegará mi fin... Confíen en sí mismos y vivan...

El buen *Periquillo Sarniento* murió tranquilo y feliz, junto a su familia.

Made in the USA
Las Vegas, NV
06 February 2022

43227262R00046